À PAS D LOUP

Un conte de
Zemanel

Pour apprendre à marcher,
il faut partir loin et puis... revenir !
Merci PAPA !

illustré par
Madeleine Brunelet

Pour Sandrine, Magali
et leurs petits loups.

Père Castor ■ Flammarion

© Flammarion, 2013
ISBN : 978-2-0812-8518-7 – ISSN : 1768-2061

Siou est un loup. Un tout petit loup.
Il n'aime pas rester seul, Siou.
Il aimerait bien suivre sa mère loup…
Seulement voilà, il ne sait pas encore marcher, pas comme il faut.
« Tu m'accompagneras quand tu marcheras
comme un vrai loup » a promis sa maman.
Alors Siou reste là, le nez en l'air,
à compter les nuages et à soupirer :
« Ah si seulement je savais marcher comme un vrai loup… »

Tiens, voilà une grenouille qui passe.
Elle déplie ses longues pattes,
s'élance dans les airs et retombe par terre.

En haut en bas,
en haut en bas...

« Quelle drôle de façon d'avancer !
Peut-être faut-il faire ainsi
pour marcher comme un vrai loup ?
se dit Siou. Essayons ! »

Et hop! le voilà qui suit la grenouille!
En haut en bas, en haut en bas…

C'est amusant, mais à force de sauter,
Siou a très mal aux pattes.

Non! Visiblement,
cette marche-là n'est pas celle d'un loup.

Tiens, voilà un papillon qui passe cette fois.
Il remue ses grandes ailes.

En avant en arrière,
en avant en arrière...

« Comme c'est curieux !
Peut-être faut-il remuer les pattes ainsi
pour marcher comme un vrai loup ?
se dit Siou. Essayons ! »

Et hop ! le voilà qui suit le papillon.
En avant en arrière, en avant en arrière…

Siou remue ses pattes, le papillon ses ailes.
Le papillon s'envole haut, très haut dans le ciel
tandis que Siou, lui, reste en bas, tout en bas sur le sol.

Non ! À l'évidence,
cette marche-là n'est pas celle d'un loup.

Tiens, encore quelqu'un d'autre !
Un serpent arrive à présent.
Il glisse sur le sol.

De gauche à droite,
de droite à gauche...

« Comme c'est bizarre !
Peut-être faut-il glisser ainsi
pour marcher comme un vrai loup ?
se dit Siou. Essayons ! »

Et hop ! le voilà qui suit le serpent.
De gauche à droite, de droite à gauche…
Sur le sable, sur les pierres, sur les branches…

Que c'est fatigant de ramper
et de traîner son ventre par terre ainsi.
Non ! Vraiment,
cette marche-là non plus n'est pas celle d'un loup.

Tiens, qui donc voit-il cette fois?
Un blaireau qui s'avance bougon, grognon.
Des pas fâchés et le sourcil froncé.

Un deux, un deux!

« Cela fait presque peur !
C'est certainement comme cela
que marchent les vrais loups,
se dit Siou. Essayons ! »

Et hop ! le voilà qui suit le roi des bougons.
Un deux, un deux !
Des pas fâchés, le sourcil froncé.
Un deux, un deux ! Facile pour Siou.

Mais ce n'est pas très drôle de garder le sourcil froncé
et de taper du pied à longueur de journée.
Non ! Décidément, cette marche-là ne va pas non plus.

« Je ne marcherai jamais comme un vrai loup » se lamente Siou.
Et, à force de suivre tous ceux qui lui passaient sous le nez,
à force de sauter comme la grenouille,
de voler comme le papillon, de ramper comme le serpent
et de marcher fâché comme le blaireau, Siou s'est perdu.

Mère loup, de retour à la tanière, ne retrouve pas son petit Siou.
Alors, un peu inquiète, elle l'appelle d'un cri de loup :
– Aouuuuuuuu ! Où es-tu Siou ?
Siou ne marche pas très bien mais entend parfaitement.
« Vite, rentrons ! » se dit-il.

Et hop ! le voilà qui court aussi vite qu'il peut,
un peu n'importe comment :
sautant, volant, glissant, tapant du pied.

Le voilà qui finit par arriver près de la tanière.
Là, il hume la bonne odeur du goûter
que mère loup a préparé.
Alors, doucement, tout doucement,
il s'approche pour la surprendre et…

– BOUUUU !
Il pousse un petit cri de loup.
– Quelle surprise, je ne t'ai pas entendu arriver !
dit mère loup, mais tu marches
comme un vrai loup !

C'est vrai ! Comme un vrai loup ! Quelle joie pour Siou !
Ça y est, il sait marcher comme il faut à présent.
À pas tout doux, de ces pas que les oreilles n'entendent pas,
de ceux qui courent doucement, bref…

à pas de loup !

Imprimé par Pollina, Luçon, France - L66949– 12-2013 – Dépôt légal : mars 2013
Éditions Flammarion (n°L.01EJDN000871.C002) – 87, quai Panhard-et-Levassor, 75647 Paris Cedex 13
Loi n° 49-956 du 16 juillet 1949 sur les publications destinées à la jeunesse